和爱因斯坦一起做实验

视错觉的魔法秀

[意] 马蒂亚·克里韦利尼 著 [意] 萝塞拉·特里翁费蒂 绘 马昭 译

U0178920

SPM 南方传媒 | 新世纪出版社

·广州·

目录

我们这样认识世界

科学研究方法是我们通过**科学知识**来探究周围世界的方法，也是我们已知的研究**世界万物**最可靠的方法。

科学并不是"精确"的代名词，但却可以重复，也就是说，它可以重复出现相同的结果。在同样的初始条件下，我们能预料到**科学实验**会得到相同的结果。科学研究方法具有**可实验性**，我们通过实验、测试和观察得到结果。在这个有趣的过程中，科学家可以充分发挥自己的创造力。

实验性的科学研究方法主要有以下几步：

1. 观察现象，提出问题。

2. 提出假设，即对该现象做出一个可能的解释。

3. 进行实验，检验假设是否正确。

4. 分析结果。

5. 用不同的方法重复实验。

6. 得到结论，创立规则。

与你同行!

我是**机器人格雷格**，属于高级人工智能产品。我有一个正电子大脑，里面却装满了不解……

我是**阿尔伯特·爱因斯坦**，你可以叫我**阿尔伯特教授**。我是一位有趣的科学家，喜欢旅行和户外骑行。我对生活和宇宙的一切事物都充满热情。

我叫**鲍勃**。我爱吃比萨，是个超级电影迷。他们都说我是个充满活力和好奇心的人。

四个字: 安全第一!

1. 在做任何实验之前，要先仔细阅读所有实验说明，确保所需材料的齐全。

2. 在实验期间，禁止饮食，尤其重要的是严禁把实验用品放进嘴里！这可不是开玩笑，千万不要这样做！

3. 由于实验中你可能会把自己弄脏，尽量换上旧衣服吧！食用色素还可能会沾到你的衣服和皮肤上。

4. 每次实验后要记得洗手哟，有些实验用品可能会危害健康。

5. 在使用锋利器具、灶具或者家用电器时，要找成年人帮忙。

6. 在完成实验之后，要清洗所有的工具和容器，并将它们摆放整齐。

本书中的一些科学实验需要在成年人的帮助和看护下进行。

你的眼睛会"说谎"

你知道吗？我们常常会被自己的**视觉系统**"欺骗"，产生**视错觉**。视错觉有时候会使我们感知到某些并不存在的事物，有时候会使我们感知到的事物与现实并不相符。

科学家根据视错觉的产生机制，将它们分为三种不同的类型：**光学型、感知型**和**认知型**。

光学型

光学型视错觉是由和光的性质相关的现象造成的，而不取决于人眼，例如沙漠中的海市蜃楼。

感知型

感知型视错觉是由视觉系统造成的，例如那些现实中不可能存在的事物，或者**双关图形**（见第24页）。

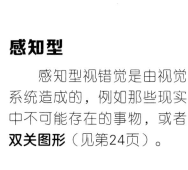

认知型

认知型视错觉是由于大脑对图像的解读造成的。一个典型的例子就是"**不可能图形**"（见下页）。

后文出现的大多数视错觉例子都属于认知型。

在古代，人们就已经对视错觉现象非常熟悉了，希腊人和罗马人用视错觉图像来装饰自己的家。在两位著名的古代哲学家**亚里士多德**和**卢克莱修**的作品中，就有关于视错觉的记载。

卢克莱修

亚里士多德

埃舍尔的"不可能房间"

"不可能图形"只能存在于纸上，因为它们绝对不可能存在于现实中。艺术家**莫里茨·埃舍尔**是创造视错觉图形的大师。

埃舍尔是**视错觉**的忠实爱好者，他所创造的"不可能宇宙"风靡世界。他的作品不仅欺骗了我们的大脑，还在其中隐藏了数学公式。

仔细看！你能在
这个房间里找到多少
个"不可能物体"？

"不可能物体"大揭秘

看看右边的**窗户**，有些部分既在彼此的前方，同时又在彼此的后方。

同一把**椅子**，两种坐法。

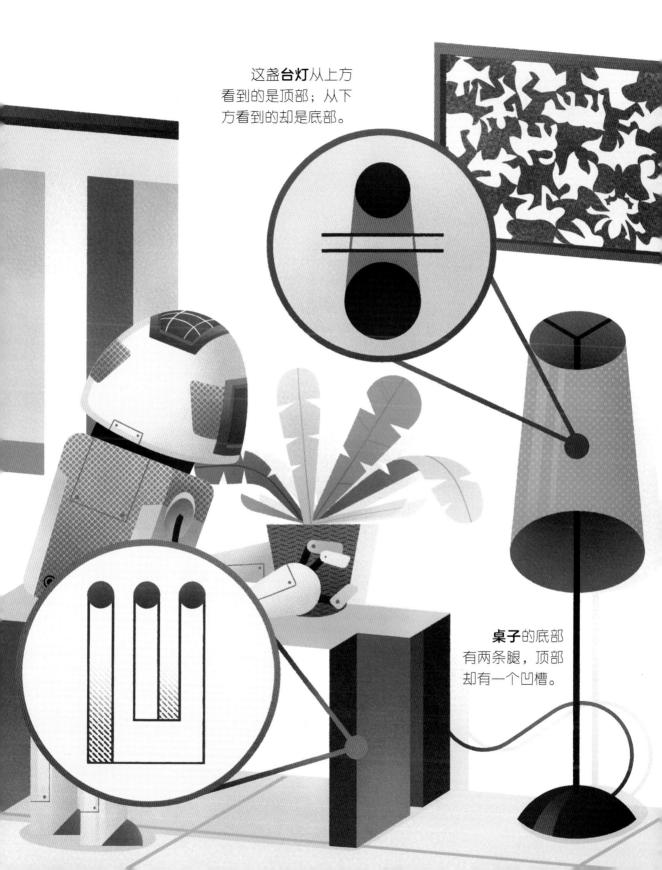

这盏**台灯**从上方
看到的是顶部；从下
方看到的却是底部。

桌子的底部
有两条腿，顶部
却有一个凹槽。

会自动纠错的大脑

试试看，快速读出下面绿色方框里的文字。

这段信息能够证明我们的大脑有多么惊人的能力！是不是非常不可议思呢？一开始可能还有不些适应，但现在读到这一行的时候，你的大脑甚至以可不假思索地自动读出文字了！为之骄傲吧！

来自英国剑桥大学的一位教授认为，单词中字母的顺序并不重要，唯一重要的是单词开头和末尾的字母要放在正确的位置上。换成我们的汉字同样适用，即在一段文字中，个别汉字的先后顺序并不重要，唯一重要的是开头和末尾的汉字要放在正确的位置上。

现在试着慢慢地读一遍吧。

我们在阅读一段字文的时候，并不会到受汉字序顺的影响。

上面的句子就是乱序的，你发现了吗？当然，还有很多类似的例子。

当你读完这这个句子时，你才会发现自己的大脑并没有告诉你"这"这个字在句中重复出现了两遍。

每一天，我们的大脑都要处理大量的信息。随着时间的推移，大脑学会了通过使用策略来加快一些学习的过程，以免负担过重。因此，为了努力理解信息的本质，大脑会把一般性信息自动补全。

令人眼花缭乱的艺术

这些图画看上去是不是非常神奇呢？它们是**欧普艺术**的典型代表。欧普艺术是指利用人类视错觉所绘制的绘画艺术，诞生于20世纪60年代。

欧普艺术利用眼睛自身的控制机制来"欺骗"眼睛，用完全静止的图案使观看者在主观上产生错觉，以为它们是在"动"的。

这种波动、错视或变形的效果是使用黑白对比色和几何形状相互作用的结果。

科学和艺术

　　一些创作这些作品的艺术家同时也是研究人员或者神经科学家。这是因为，如果你想欺骗人们的眼睛和大脑，并制造动态的错觉，就必须深入研究**视觉系统**。

　　科学仍然无法彻底解释这些现象是如何产生的。

它们在那儿，
却并不真的在那儿

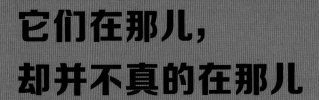

这就是**赫尔曼栅格**！它是以**卢迪马尔·赫尔曼**的名字命名的，他在1870年发现并报告了这种错觉：当你观察整个栅格时，你会在白条交叉处看到朦胧的灰色斑点……但当你把视线移向任一个灰点时，它就会消失，因为灰点并不真实存在！

赫尔曼栅格和闪光栅格的不同之处在于，闪光栅格的交叉处确实有白点，而赫尔曼栅格的交叉处则根本没有点。

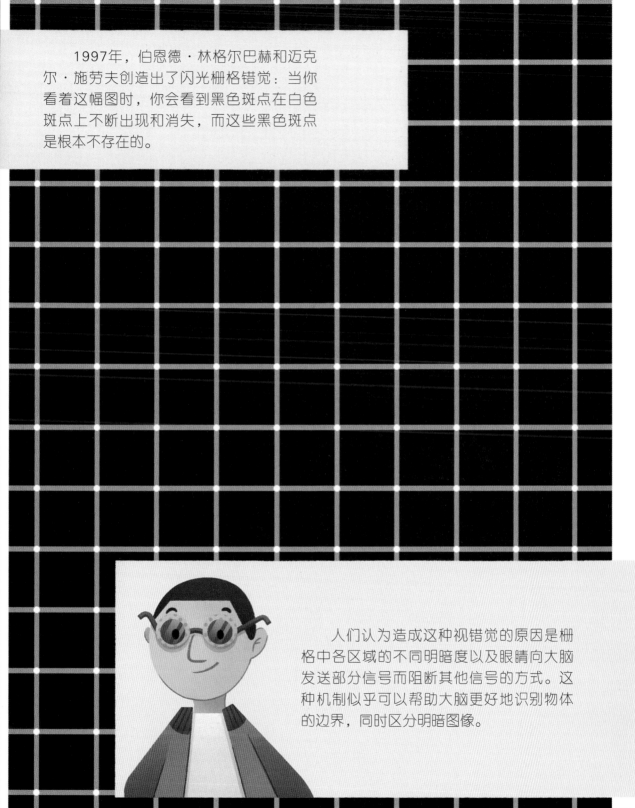

1997年，伯恩德·林格尔巴赫和迈克尔·施劳夫创造出了闪光栅格错觉：当你看着这幅图时，你会看到黑色斑点在白色斑点上不断出现和消失，而这些黑色斑点是根本不存在的。

人们认为造成这种视错觉的原因是栅格中各区域的不同明暗度以及眼睛向大脑发送部分信号而阻断其他信号的方式。这种机制似乎可以帮助大脑更好地识别物体的边界，同时区分明暗图像。

神奇的卡尼萨三角

1955年，意大利心理学家**加埃塔诺·卡尼萨**首次描述了一种错觉，随后这种错觉以他的姓氏命名为"卡尼萨三角"。

在右图中，你是否看到一个黑边的三角形上面叠放了个白色的三角形？其实这两个三角形并不存在，只是零碎的线条和三个带缺口的圆在有规则的排列下给我们造成的错觉。而且，你会觉得白色三角形比另一个三角形显得更明亮。

其他的例子还有**正德尖刺球体**和**爱伦斯坦错觉。**

卡尼萨三角

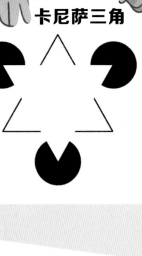

正德尖刺球体

爱伦斯坦错觉

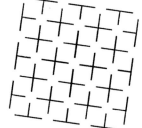

你需要准备：

- 一把尺子
- 一把圆规
- 一支铅笔
- 一支黑色记号笔
- 一张白纸

开始做实验吧：

1

如图所示，拿起你的铅笔和记号笔，在白纸上从卡尼萨三角开始，重新创造同样的错觉。

困难等级：

脏乱等级：

时间：15分钟
你自己就能完成哟，加油！

2

现在，试着用一个正方形来创造同样的错觉。

3

以正方形四个顶点为圆心，画出四个黑色圆形，使每个圆形都缺失四分之一，四个缺失部分角度如图所示。于是，图像中央就会"出现"一个白色的正方形。

4

试着重现上一页的其他错觉吧！

发生了什么

如果你的图形画得够精确，你会因为**认知型错觉**而看到画的中央出现了一个白色的正方形。

看见"不存在"的词

你能在这幅图里看到哪个英文单词?

*FLY

> 我什么也看不到呀。

你看到的单词其实并不是真实存在的。

它是映在我们想象出来的白色背景上的白色字母。

20

你需要准备：

- 一支铅笔
- 两张白纸

开始做实验吧：

1 在第一张白纸上，用铅笔写下你想用来造成错觉的英文字母。

2 现在，将第二张白纸覆盖在上面。

3 将两张纸片对着明亮的窗户，仔细观察字母的轮廓，把它们想象成是三维立体的。

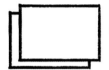

4 设想光线从纸张的左上方照进来，并在最上面的白纸上将想象中每个字母的阴影画出来。

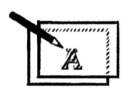

5 现在，给爸爸妈妈看看那张只画了阴影的纸，问问他们上面写的是什么。

发生了什么

你重现了这个视错觉效果：一个原本不存在的字母，但人们可以通过阴影来认出它。

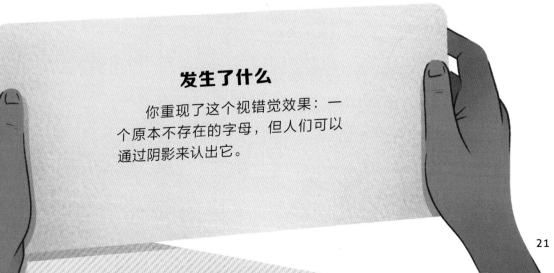

有趣的对称字

对称字最早出现于19世纪，但这些奇特的文字设计直到1980年才被**斯科特·金**赋予了"**倒置字**"这一名称。

Scotch in

Luvexions

对称字又叫倒置字，是一种可以被同时读成两个或多个不同单词的书法设计。这种字具有旋转对称性（这里指的是一组对称字具有旋转对称性，而不是一个对称字具有旋转对称性），因此，当它们被翻转后读起来是一样的（意思是在这样的一对词中一个翻转后就和另一个词一样了）。

1986年，美国著名学者、认知科学家**道格拉斯·霍夫施塔特**（中文名：侯世达）创造了**"对称字"**这个术语。

一个著名的对称字出现在丹·布朗的著作《天使与魔鬼》以及导演朗·霍华德拍摄的同名电影中。

什么是双关图形

这些图像可以用不同的方式解读，因为它们显示了**两种截然不同的图形**。你也许能够立刻看出这两种图形，也许在别人的提示下才能看到第二种图形。

上图到底是一个吹萨克斯风的男人侧面轮廓，还是一张女人的脸呢？再看看左图，如果让你为阳台选择一种栏杆，你会选择黑色的那种，还是白色的那种呢？

人脸，还是花瓶？

开始做实验吧:

1 仔细观察左页最上方的花瓶，留意细节，你可能就会看到两张侧脸的轮廓。

2 将一张A4纸对折，这样就可以在其中半张纸上绘画了。

3 现在画出半个花瓶的轮廓，同时尽量让它的轮廓看起来像一张脸。

4 沿着花瓶的轮廓，把折叠成两半的纸同时剪开，然后打开纸片。

5 用黑色记号笔给花瓶涂色，然后把它放到剪下来的白纸上。

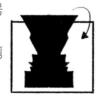

发生了什么

你刚刚创造了一个双关图形，它的灵感来自**鲁宾花瓶**:它既可以被看作是一个花瓶，也可以被看作是两张人脸。大脑会先用一种方式解读图像，然后再用另一种方式再次解读它。但是，大脑不能同时感知花瓶和面孔。

幻想性视错觉知多少

幻想性视错觉是我们的大脑把原本随机、无关联的物体或图案识别为熟悉物体的一种倾向。你是不是也经常盯着一朵云看，并试图从中找到一只动物的形状或者一张脸的特征呢？

快看，那里有一个火星人！

火星之脸

幻想性视错觉的一个有名的例子是火星上的"脸"。这个火星岩石构造是由"维京一号"太空探测器拍摄到的。当光线以一定角度照射到岩石上时，它看起来就像一张人脸。

趣味肖像画

　　16世纪，艺术家**朱塞佩·阿尔钦博托**就已经开始利用**幻想性视错觉**来创作奇异的肖像画了。一眼望去，我们看到的是"人的面孔"，但很快就会注意到这些侧脸细节是用水果、蔬菜、鲜花和其他物品创造的。

环境很重要

右边图像中间的深色圆点看起来比左边的那个更大，但其实它们是同样大小的圆。这种错觉的产生是由于人的大脑会利用它周围环境来确定物体的大小。

因为右边的深色圆点被较小的绿色圆点包围着，所以大脑的错觉认为它比被较大绿色圆点包围的深色圆点更大。这就是所谓的**艾宾浩斯错觉**！

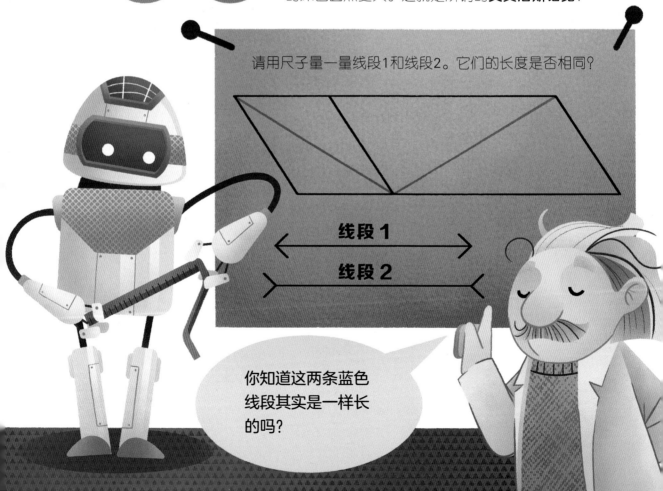

请用尺子量一量线段1和线段2。它们的长度是否相同？

线段1

线段2

你知道这两条蓝色线段其实是一样长的吗？

你需要准备:

- 一把圆规
- 一把剪刀
- 两张不同颜色的卡纸
- 一支铅笔

困难等级:

脏乱等级:

时间:30分钟
你自己就能完成哟,加油!

开始做实验吧:

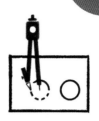

1 用圆规在一张卡纸上画出两个直径为6.3厘米的圆。

2 沿边线剪下卡纸上的这两个圆。

3 在另一张卡纸上画出六个直径为20厘米的圆和八个直径为2.5厘米的圆。
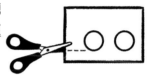

4 剪下所有的圆。

5 按照左页艾宾浩斯错觉图的方式把剪下的圆形卡纸排列起来。

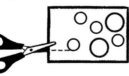

发生了什么

当你在桌面上创造出这种错觉图后,你会发现让自己相信直径为6.3厘米的两个圆是大小相同的有多难——哪怕它们是你亲手做出来的!

咖啡馆墙怎么了

20世纪70年代，**理查德·格里高利**在一家酒吧发现了一种错觉，它被称为**"咖啡馆墙视错觉"**。如右图所示，这些横线看起来是倾斜的，但其实它们是水平的并且相互平行。

把白色小方块上下分开的线条看起来是倾斜的，是因为大脑很难察觉到它们之间是平行的。这种效果源于黑色和白色之间的强烈色差对比，也因为小方块没有被整齐排列。

格里高利在咖啡馆中看到的黑白瓷砖是交错排列的，而没有像一块完美的棋盘那样摆放，因此瓷砖之间的上下灌浆线（缝隙线）看上去并不平行。

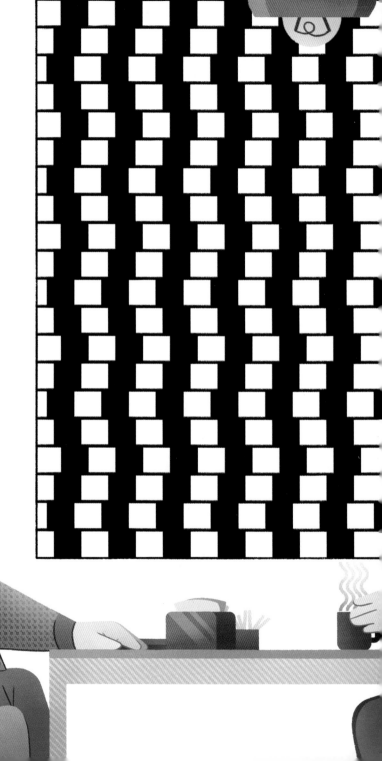

你需要准备:

- 一张规格为38.5厘米X 27.5厘米的白色卡纸
- 一支黑色记号笔
- 一把尺子
- 一把剪刀

开始做实验吧:

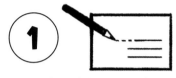

1 在卡纸上画五条横线,每两条相邻线的间隔为5.5厘米。

2 再画出七条竖线,每两条相邻线的间隔也为5.5厘米。这样,卡纸上就出现了一些小方块。

3 每隔一个方块,就把白色的方块涂黑,使卡纸上形成一个棋盘。

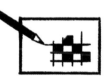

4 沿水平方向的横线把棋盘剪成五个长条。

5 将纸条按照剪开前的顺序平铺在桌子上。每间隔一行,把长条往右水平移动半格。

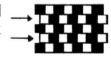

发生了什么

你会发现在新构成的图案中,水平分界线看起来似乎弯曲倾斜了,然而,它们其实仍是相互平行的。如果将移动过的长条往左移动半格,回到初始状态时,这些分界线看起来又变成平行的了。

三个面的立方体

立方体是一种有六个面的立体图形，但是画立方体时只能画出其中的三个面。

你需要准备：

- 一张白色卡纸
- 一把尺子
- 一支铅笔
- 一把剪刀
- 一卷透明胶带

看着立方体的画面时，你的大脑会重建三维物体，并把缺失的部分想象出来。

我们可以通过向大脑展示一个凹多面体来误导它，使它把这个物体实际感知成一个凸多面体。

32

开始做实验吧：

1 如图所示，在卡纸上画出三个边长为10厘米的正方形。

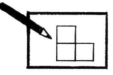

2 沿着图形的边线将它剪下，得到一个大大的"L形"。

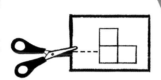

3 在第一个正方形中间画一个圆点，在第二个正方形上沿着对角线画两个圆点，在第三个正方形上沿着对角线画三个圆点。

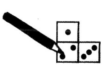

4 按照图中箭头的方向进行折叠，使圆点露在整个物体的外侧。

5 在两个正方形相接处的背面，用透明胶带把它们粘在一起。

6 移动物体，并用一只眼睛进行观察。

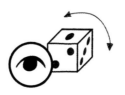

凹面角（大于 0 度，小于 180 度的角）

凸面角（大于 180 度，小于 360 度的角）

看到了什么

你会感觉自己看到了一个普通的凸多面体，但它看起来好像是在向实际移动方向的反方向移动。

不可思议的彭罗斯三角

被发现了两次！

　　这种错觉最早是由瑞典平面艺术家**奥斯卡·雷乌特斯瓦德**发现的。根据一则著名的传闻，18岁的他在学校拉丁文课上随笔涂鸦时画出了这个图形。

　　这种错觉后来也被著名科学家和哲学家**莱昂内尔·彭罗斯**和他的儿子**罗杰·彭罗斯**发现。

奥斯卡·雷乌特斯瓦德

彭罗斯三角是一种不可能的物体，无法在任何一个正常三维空间的物体上实现，但实际物体若在特定角度下观看时，完全可以看到和彭罗斯三角的二维图相同的图案。

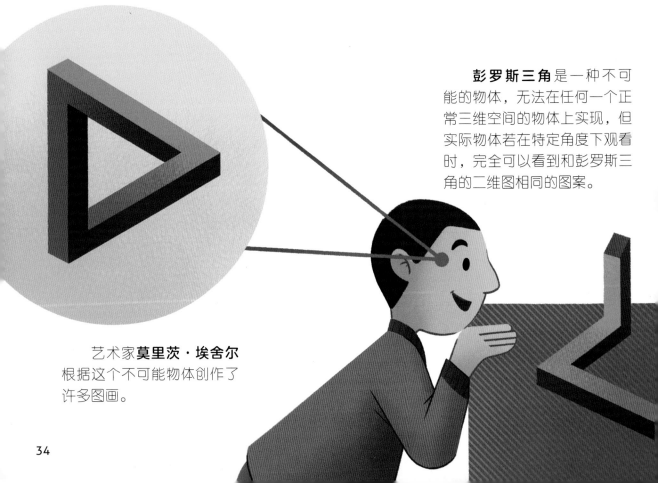

　　艺术家**莫里茨·埃舍尔**根据这个不可能物体创作了许多图画。

你需要准备：

- 30厘米长的铁丝
- 一把钳子

开始做实验吧：

如图所示，将铁丝弯折成"U形"，使每段长度为10厘米，弯折处形成两个90°直角。

2 用拇指和食指握住如图的U形铁丝一边，将它向下弯折90°。

3 用右手握住铁丝的中间部分。

4 闭上左眼，用右眼观察这个物体。

5 现在，请你将中间部分向左倾斜45°，并试着看到两个外部部分连接在一起，形成了三角形的第三个角。

看到了什么

只有从特定的角度观察，才能看到这个闭合的三角形。在三维空间中，这样的物体是不可能存在的，但由于视错觉原理，我们才能看到它。

好玩的3D立体手形

你需要准备：

- 一支铅笔
- 一块橡皮
- 各种颜色的彩笔
- 一张纸

你可以在一张纸上用简单的线条重现三维厚度的错觉。

开始做实验吧：

1 把你的一只手放在一张纸的中央。

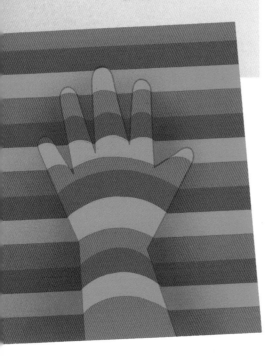

2 用铅笔绕着自己的手指画出轮廓线。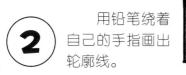

3 把手从纸上拿开吧。

注意！

在手的边缘处连接直线和弧线时，要尽量保证位置准确。你画的线条越多，最终的效果就越好。

4 用黑色彩笔在纸上画出水平的平行线。画这些线的时候，在"遇到"手的轮廓线之前都是直的，一旦进入手的轮廓线内部，就把线条画成上凸弯曲的弧线。等出了轮廓线后，再把这些线画成水平直线。

5 用橡皮擦掉铅笔画的轮廓线。

发生了什么

完成绘制后，画面中会出现你的一只手的立体图像。

6 在线条之间的空隙内涂上不同的颜色。

"魔法"圆盘

费纳奇镜是一种通过一连串图画让我们感知到**动画图像**的装置。

它最初是一个由两个圆盘组成的仪器：一个圆盘上是一连串的图画，另一个圆盘上有等距离的狭缝。在旋转圆盘时，如果你从缝隙间看过去，图画就仿佛获得生命般动了起来。

还有另一种版本的费纳奇镜，它是一个带有狭缝和图像的圆盘。把圆盘放在镜子前，通过缝隙进行观察。当旋转圆盘时，你可以看到镜中的影像活动起来了。

"费纳奇镜"这个词来自于希腊语，意思是"欺骗"。这个名字可谓名副其实，绘制好的图像由于视觉暂留欺骗了人们的双眼，获得连续播放的效果。

回到19世纪

困难等级：

脏乱等级：

时间：50分钟
和爸爸妈妈一起做!

你需要准备：

- 一张直径为20厘米的白色圆形纸板
- 一支铅笔
- 一把尺子
- 一把美工刀
- 一枚图钉

开始做实验吧：

用铅笔画出通过圆心的八条线，把圆形纸板分成十六等份。

在第一等份中涂一个圆形，下一个等份比第一个圆形位置略高一些的地方涂一个圆形。重复这个步骤直到第九等份。从第九等份开始，在每个等份中涂出一个比上个圆形位置略低的圆形。最后一个圆形应与第一个圆形的高度相同。

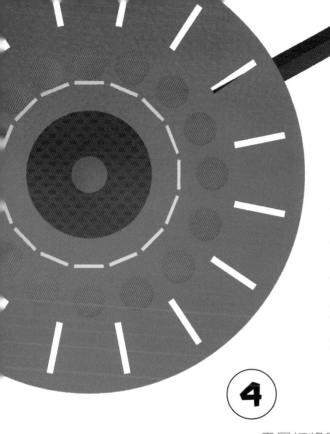

请你在爸爸妈妈的帮助下使用美工刀，在圆形纸板上每两个不同部分之间的分隔线处切下一个又细又窄的长方形。保证这个长方形从距离纸板边缘1厘米处开始切下，到距离纸板边缘4厘米处结束。因此，这个缝隙长度为3厘米，宽度为3毫米。

用图钉将圆盘固定在铅笔的顶部。

现在，请你站在镜子前，将图案朝向镜子。

看到了什么

我们感觉自己看到了一个球在地上弹跳的动态图像。这是由我们**视觉系统**的一个特征——**视觉暂留**导致的。当一个图像被另一个图像很快地替换时，视觉系统就会无法分辨两个图像。

将圆盘放在双眼前方开始旋转，并通过缝隙观察图案在镜子中的影像。

动起来的图画

　　西洋镜是一种**光学**设备，它能产生图像在运动时的错觉影像。1833年，**威廉·霍纳**发明了西洋镜，它在维多利亚时代十分流行。

　　西洋镜由一长条纸上的一连串图画组成，这些图画被放置在一个有缝隙的圆筒内，你可以通过圆筒来观看图画。

制作西洋镜时，有个要诀在于缝隙的间距必须是均匀的，而且缝隙的数量要和图画的数量相同（一连串图画中的每一幅图画都必须有一条缝隙与之对应）。

卢米埃尔电影放映机

西洋镜和费纳奇镜是电影的前身，而电影发明于19世纪晚期。1895年12月28日，**路易斯·卢米埃尔和奥古斯塔·卢米埃尔**两兄弟举行了世界上第一次公开电影的放映活动。

自制西洋镜

你需要准备：

- 高度约为10厘米、直径约为15厘米的圆柱形塑料容器
- 一枚钉子
- 一块直径为20厘米、厚度为2厘米的圆形木板
- 一把美工刀
- 一支黑色永久性记号笔
- 一张宽度为5厘米、长度与容器周长相等的纸条
- 一支铅笔
- 一个垫圈
- 一卷透明胶带

开始做实验吧：

1 在纸条上画出十六幅系列图画。就像给费纳奇镜画的图画一样，所有图画的大小相同，彼此之间的距离相等。

困难等级：

脏乱等级：

时间：50分钟
和爸爸妈妈一起做！

2 把塑料容器涂成黑色。

3 将带有图画的纸条粘在容器内侧，有图画的那一面朝内。

4 在爸爸妈妈的帮助下，用美工刀在容器上切出十六个宽度为3毫米的狭缝，缝隙正好位于每两幅图画之间空白位置的上方。

5 将容器的底部用钉子固定在木板上，把垫圈垫在它们之间，使容器可以自由旋转。

6 将容器举到眼睛的高度，然后旋转容器，透过缝隙观察里面的图画。

发生了什么

和费纳奇镜的原理一样，是视觉暂留现象使得这一连串图画仿佛获得生命般动了起来。

更多动画等着你

多做一些同样大小的纸条，来创作更多系列的图画吧。

术语表

不可能图形：由人类的视觉系统瞬间意识地对一个二维图形的三维投射而形成的光学错觉，在三维空间中不可能存在。

道格拉斯·霍夫施塔特（1945— ）：研究意识及其过程的美国学者。1986年，他发明了"对称字"一词。

对称字：一种可以同时读成两个或多个不同单词的书法设计。把对称字翻转后，就可以读出这些字符组成的不同词汇。

感知型视错觉：由于我们眼睛的发育方式和工作原理，而使我们被视觉系统"欺骗"，从而造成这种错觉。

光学：是物理学的重要分支学科。光学尤其关注光的行为、特性以及与物质的相互作用。

光学型视错觉：由于和光的物理特性相关的现象，我们的视觉系统会欺骗我们，从而造成了这种错觉。例如，沙漠中的海市蜃楼。

幻想性视错觉：这是我们的大脑把原本随机或不相关的物体或图案辨认为熟悉物体的一种倾向。例如，我们有时会从云彩中看到物体或人脸。

加埃塔诺·卡尼萨（1913—1993）：意大利心理学家。他于1955年描述了卡尼萨三角形错觉，并以此闻名。现在，全世界关于视觉感知的书籍中都能找到关于这种错觉的内容。

莱昂内尔·彭罗斯（1898—1972）和罗杰·彭罗斯（1931— ）：英国父子，一位是生物学家，而另一位是数学家、物理学家和天文学家。他们设计并推广了以他们的姓氏命名的错觉：彭罗斯三角，并使这种错觉闻名于世。

理查德·格里高利（1923—2010）：英国心理学家，布里斯托大学神经心理学教授。1973年，他在英国布里斯托的一家咖啡馆观察墙砖时发现了咖啡馆墙视错觉，并由此而闻名。

卢迪马尔·赫尔曼（1838—1914）：德国科学家，于1870年发现了赫尔曼栅格错觉，当时他正在阅读一篇物理学文章。其实这种现象也是苏格兰科学家、万花筒的发明者大卫·布鲁斯特爵士在1844年观察到的。

莫里茨·埃舍尔（1898—1972）：一位荷兰艺术家，他的作品结合了艺术和科学，通过创造隐藏着数学公式和视错觉的不可能宇宙，挑战我们的感知和逻辑感。

欧普艺术：即光学艺术，这是一种抽象艺术，也就是说它并不描绘现实。这种艺术是1960年左右在美国发展起来的，艺术家们通过几何图形、色彩和光线对动态的视错觉进行实验，从而使观察者体验错觉。

认知型视错觉：大脑对图像的解读导致我们被自己的视觉系统欺骗了，从而形成了一种错觉。"不可能图形"就是一个例子。

视觉系统：我们的视觉系统包括眼睛和大脑。前者负责收集信息，后者负责解读信息，并对信息进行修正。

视觉暂留：图像到达视网膜（一种位于眼球后部的膜，它能捕捉信息，并将信息发送到大脑）时，会在我们的视觉系统中停留一定时间。它会阻止你看到新的图像，即使时间非常短暂。

双关图形：在不同时间能被看成不同对象的图形。两种对象相互交替出现。

威廉·霍纳（1786—1837）：英国数学家。1834年，他发明了西洋镜。西洋镜也被称为生命之轮，用来创造动态图像的错觉。

图书在版编目（CIP）数据

　　和爱因斯坦一起做实验.视错觉的魔法秀 / (意) 马
蒂亚·克里韦利尼著；(意) 萝塞拉·特里翁费蒂绘；
马昭译. —— 广州：新世纪出版社，2022.7
　　ISBN 978-7-5583-2953-1

　　Ⅰ.①和… Ⅱ.①马… ②萝… ③马… Ⅲ.①科学实
验-少儿读物 Ⅳ.①N33-49

　　中国版本图书馆CIP数据核字(2021)第134992号

　　广东省版权局著作权合同登记号 图字：19-2021-101号

Let's Experiment！ Optical Illusions
Illustrations by Rossella Trionfetti
Text by Fosforo

Translation and editing: TperTradurre, Rome, Italy
Editing: Michele Suchomel-Casey

本书简体中文版经由中华版权代理总公司授予北京广版新世纪文化传媒有限公司

出 版 人：陈少波　　　责任编辑：刘　璇　　　责任校对：木　青
美术编辑：周晓冰　　　封面设计：陆　拾

和爱因斯坦一起做实验：视错觉的魔法秀
HE AIYINSITAN YIQI ZUO SHIYAN: SHI CUOJUE DE MOFA XIU
[意]马蒂亚·克里韦利尼 著　　　　　　　　　　[意]萝塞拉·特里翁费蒂 绘
马昭 译

出版发行：SPM南方传媒 | 新世纪出版社（广州市大沙头四马路10号）

经　　销：全国新华书店　　　　　　　印　　刷：当纳利（广东）印务有限公司
开　　本：787 mm×1092 mm　1/16　　印　　张：3
字　　数：35千　　　　　　　　　　版　　次：2022年7月第1版
印　　次：2022年7月第1次印刷　　　书　　号：ISBN 978-7-5583-2953-1
定　　价：32.00元